45027

Dyddiau Olaf Stem Yng

Ngwynedd

The Last Days of Steam in

Gwynedd

DYDDIAU OLAF STEM YNG

NGWYNEDD

THE LAST DAYS OF STEAM IN

GWYNEDD

–MIKE HITCHES–

ALAN SUTTON

First published in the United Kingdom in 1991
Alan Sutton Publishing Ltd · Phoenix Mill · Stroud · Gloucestershire

First published in the United States of America in 1992
Alan Sutton Publishing Inc. · Wolfeboro Falls · NH 03896–0848

Manylion catalogio y Llyfrgell Brydeinig
British Library Cataloguing in Publication Data

Hitches, Mike, *1949–*
The last days of steam in Gwynedd.
I. Title
625.261094292

ISBN 0–86299–924–3

Library of Congress Cataloging in Publication Data applied for

To Chris, John and George, with thanks

Typeset in 7/8 Palatino.
Typesetting and origination by
Alan Sutton Publishing Limited.
Printed in Great Britain by
The Bath Press, Bath, Avon.

Rhagymadrodd

Daw dadeni stem ar hyd arfordir y Gogledd yn nyfodiad y 'North Wales Coast Express' a'r 'Ynys Mon Express' a llu o atgofion o'r dyddiau pryd y defnyddid stem i dynnu'r holl drennau ar gael yng Ngwynedd. Er tristwch, diflanodd y peiriant stem o'r Sir erbyn 1965 ac yn ei le daeth y peiriant diesel fel rhan o Gynllun Moderneiddio' 1955. Wrth edrych yn ol, ymddengys fod diwedd cyfnod y stem wedi dod yn annymunol o gyflym. Gyda diflaniad stem, cauwyd llawer lein gangen oherwydd adroddiad gwarthus Dr Beeching. Petasai ef wedi cael ei ddymuniad, byddai llawer mwy o'r gyfundrefn rheilffordd wedi diflannu.

Wrth ddewis y lluniau i'r llyfr hwn, gobeithiaf fy mod wedi dwyn i gof flynyddoedd gogoneddus stem cyn eu diwedd yng Ngwynedd, adeg pan roedd y gyfundrefn rheilffordd yn dal yn ei anterth, a phendronni am y dyddiau olaf trist gyda llinellau o injans yn aros eu tynged mewn llawer man, fel Cyffordd Llandudno, a hefyd cysidro y cyflwr difrifol o wael oedd ar rai ohonynt yn tynnu'r trennau cyn y diwedd. Wrth lwc, cafodd llawer peiriant ei arbed rhag pydru, a chawn weld unwaith eto yr 'injan stem' ar ei gorau yn tynnu'r tren yng Ngwynedd, ar hyd Arfordir y Gogledd ac, yn 1991, ar hyd lein y Cambriai.

Hoffwn ddiolch i bawb sydd wedi helpu gyda'r gwaith yma, ac yn enwedig am gael defnyddio'r darluniau a fenthyciwyd gan Peter Owen, Gwyn Roberts, Bruce Ellis, Tim Shuttleworth, Norman Kneale, Keith Smith, ac Arthur Truby. I orffen, diolch yn fawr iawn i Mr E. Parry a ffrindiau am y gwaith cyfieithu.

Introduction

Renaissance of steam along the North Wales coast, in the shape of the 'North Wales Coast Express' and 'Ynys Mon Express', brings back memories of the days when trains running through Gwynedd were always steam-hauled. Sadly, the steam locomotive had disappeared from the county by 1965, replaced by diesel traction as part of the 1955 'Modernization Plan'. Looking back, it would seem that the demise of steam went along with somewhat indecent haste. Along with the disappearance of steam, many of the branch lines in Gwynedd were closed, under the effects of Dr Beeching's infamous report. If he had been given his way, a great deal more of the railway system in the area would have gone.

In selecting the photographs for this book, I hope that I have recalled the final glorious years of steam in Gwynedd, a time when most of the railway system was still intact, and reflect upon the last sad days, with lines of dead locomotives awaiting their fate at places like Llandudno Junction, as well as the deplorable condition of some of the engines as they headed trains in the last few weeks. Luckily, many of these locomotives found their way into preservation and the spectacle of a steam engine working hard at the head of a train can be seen again in Gwynedd, along the North Wales coast and, in 1991, on the Cambrian Coast line.

I should like to record my thanks to all of those people who have helped in this project and to those who supplied the photographs used in this book, particularly Peter Owen, Gwyn Roberts, Bruce Ellis, Tim Shuttleworth, Norman Kneale, Keith Smith and Arthur Truby. Finally, I should like to record my appreciation of the hard work Mr E. Parry and friends put in translating my English into Welsh.

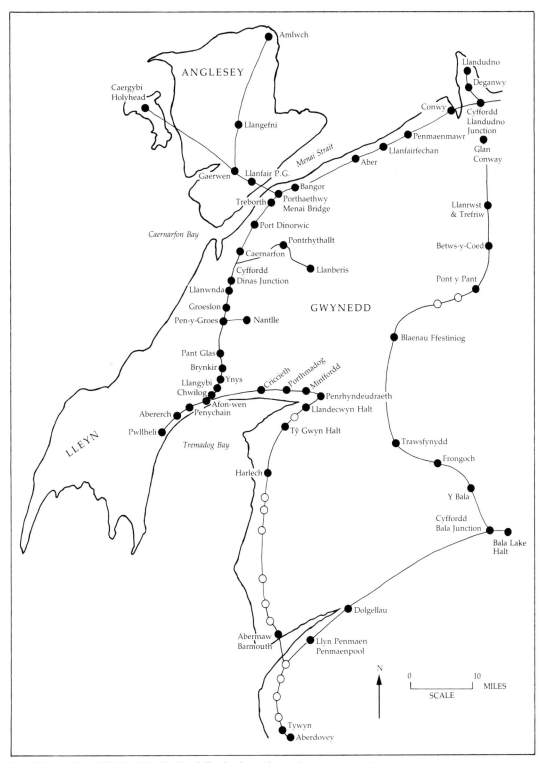

DYDDIAU OLAF STEM YNG (Ond lleoliad perthnasol i'r testun sydd yn dangos)

LAST DAYS OF STEAM IN GWYNEDD (Only locations relevant to the text are shown)

Dau esiampl o 'Collett Goods' 0–6–0, Rhif 2292 a 2295 ar y ffordd i gwt Pwllheli ar y 9 Orffenaf. Gweithiodd y rhain yn gludwyn pobl a nwyddau ar arfordir Cambria.

Two examples of Collett Goods 0–6–0's, Nos. 2292 and 2295 on Pwllheli shed road on 9 July 1954. These engines worked both passenger and goods trains on the Cambrian coast.

A.G. Ellis Collection

'Hybrid' 4–4–0 'Dukedog' wedi ei adeiladu allan o hen ferwedyddon y 'Duke' injans a oedd wedi eu galw'n ol, a fframiau peiriannau 'Bulldog'. Cysylltwyd y rhain ers amser maith a'r 'Cambrian Coast line', a bu i ddau rhanynt barhau hyd at 1960. Dyma engrhaifft Rhif 9003 gyda GWR 'Prairie Tank' ym Mhwllheli, ar 9 o Orffenaf 1954.

Hybrid 4–4–0 'Dukedog', built from the boilers of withdrawn 'Duke' class locos and the frames of 'Bulldog' engines. These engines were long associated with the Cambrian Coast line, two of them lasting until 1960. This example, No. 9003, is seen in company with an ex-GWR 'Prairie' tank at Pwllheli, on 9 July 1954.

A.G. Ellis Collection

Gorsaf Pwllheli fel yr oedd ddwy flynedd o flaen darfod defnyddio stem ar y 'Cambrian Coast line'. Pwllheli oedd, ac yn o hyd, yn bendraw y lein ddaeth a chymaint o ffyniant i'r dre glan môr.

Pwllheli station as it appeared on 4 February 1961, about two years before the demise of steam on the Cambrian Coast line. Pwllheli was, and still is, the terminus of the line, the railway bringing much prosperity to this seaside resort.

A.G. Ellis Collection

Yr oedd gan Bwllheli gut peiriannau, rhif 89C, yn gyfrifol am gynhaliaeth bob peiriant rhwng Aberystwyth a Pwllheli. Dyma un ar y 6ed o Chwefror 1961, Collett Goods 0–6–0 Rhif 2286 yn paratoi am ddechrau gwaith. Nodwch ddull GWR o lythrennu ar y glo gludwr wedi eu dodi arno yn union wedi Cenedlaetholi, gan awgrymu hen waith paent.

Pwllheli had its own loco-shed, coded 89C, and was responsible for maintaining engines that ran between Aberyswyth and Pwllheli. Here, on 6 February 1961, Collett Goods 0–6–0, No. 2286 is seen being prepared for its turn of duty. Note the GWR style of British Railways lettering on the tender, applied just after nationalization, suggesting old paintwork.

A.G. Ellis Collection

BR dosbarth 2, 2–6–0 ar y trofwrdd ym Mhwllheli. Cyflwynwyd y rhain yn lle'r 'Dukedogs' a oedd yn heneiddio.

BR class 2, 2–6–0 on the turntable at Pwllheli. These locos were introduced to the Cambrian line as replacements for ageing 'Dukedogs'.

A.G. Ellis Collection

'Collett Goods' 0–6–0 Rhif 3202 ym Mhwllheli. Trafaeliodd sawl milltir yng Ngwynedd ac wedi ei chartrefu yng Nghyffordd Llandudno am ennyd yn ystod gaeaf 1963.

Collett Goods 0–6–0 No. 3202 at Pwllheli. This engine was much travelled in Gwynedd, being stationed at Llandudno Junction for a while in the winter of 1963.

A.G. Ellis Collection

Safle Abererch fel yr odd ar y 6 Chwefror 1961. Abererch oedd yr orsaf nesaf at Bwllheli. Er nad yw'n edrych yn bwysig, mae yno heddiw.

Abererch Halt as it appeared on 6 February 1961. Abererch was the next station on the line from Pwllheli. Despite its seeming unimportance, the station still exists today.

A.G. Ellis Collection

12

Nesau at Afonwen gyda thren o Bwllheli mae'r 'Prairie Tank' Rhif 5556 ar y 10 Gorffennaf 1954.

Approaching Afon-wen with a train from Pwllheli, is small 'Prairie' tank No. 5556 on 10 July 1954.

A.G. Ellis Collection

Dwbl dynnu gan 4–4–0 'Dukedog' injans a'r tren yn gadael Afonwen am Bwllheli 10 Gorffennaf 1954.

Double-headed by 4–4–0 'Dukedog' locos, a train for Pwllheli leaves Afon-wen on 10 July 1954.

A.G. Ellis Collection

Afonwen oedd cyffordd y 'Cambrian Coast line' gyda'r hen lein LMS o Fangor a Chaernarfon yn cysylltu rhwng ei hunan a lein Arfordir y Gogledd rhwng Caer a Chaergybi. Ar ol cau y lein wrng Gaernarfon yn 1964, cauwyd gorsaf Afonwen ac nid oes dim o'i hol mwyach. Mewn dyddiau hapus, BR dosbarth 2, 2–6–0 yn arwain 2–6–2 'Prairie tank' ar y tren i Bwllheli.

Afon-wen was the junction of the Cambrian Coast line with the ex-LMS line from Bangor and Caernarfon and, as such, formed a connection between itself and the North Wales Coast line between Chester and Holyhead. Following closure of the line to Caernarfon in 1964, Afon-wen station was closed and no trace of it now remains. In happier days, BR class 2, 2–6–0 pilots 2–6–2 'Prairie' tank on a train to Pwllheli.

A.G. Ellis Collection

Cyn-GWR 2–6–0 Rhif 5326 yn dwbl dynnu gyda BR dosbarth 2, 2–6–0 Rhif 78005 ar dren Pwllheli. Fel cyffordd o bwys, gwelodd Afonwen amrywiaeth mawr o'r moddau trafnidio o eiddo i'r cwmniau gwahanol a ddanfonai eu trenau oddiyno.

Ex-GWR 2–6–0 No. 5328 double-heads with BR class 2, 2–6–0 No. 78005 on a Pwllheli train. As a major junction, Afon-wen saw a great variety of motive power from the various companies who operated trains from there.

A.G. Ellis Collection

Dim ond gorsaf cyfnewid oedd Afonwen a heb lôn ati. Yma mae tren cysylltiol ag un o Gaernarfon yn gadael Afonwen am Bwllheli ar y 10 Gorffennaf 1954 ac ar y blaen mae 'Collett Goods' 0–6–0 Rhif 2204.

Afon-wen was only an interchange station and there was no road access to it. Here a connecting train with one from Caernarfon leaves Afon-wen for Pwllheli on 10 July 1954, headed by Collett Goods 0–6–0 No. 2204.

A.G. Ellis Collection

Cyn-LMS 'Ivatt 2–6–2 tanks' ar flaen tren stoc wag yn Afonwen. Bydd yn mynd ar hyd y lein fach o Gaernarfon i Fangor lle bydd y cerbydresi yn cael eu cadw. Ychydig oriau yng nghynt daeth y tren yma a'r ymwelwyr i'r Butlins holiday camp, Penychain.

Ex-LMS Ivatt 2–6–2 tanks head an empty stock train at Afon-wen. This train will go along the Caernarfon branch to Bangor where the coaches will be stored. The train had brought holiday-makers to Butlins holiday camp at Penychain a few hours previously.

A.G. Ellis Collection

Cyn-LMS 'Fowler 2–6–4 tank' yn cael seibiant yn Afonwen wedi tynnu'r tren o Fangor.

Ex-LMS Fowler 2–6–4 tank rests at Afon-wen after bringing in a train from Bangor.

A.G. Ellis Collection

Cyn-GWR 4–4–0 'Dukedog' Rhif 9024 ar flaen y tren i gyfeiriad Criccieth ar y 15 Gorffennaf 1955.

Ex-GWR 4–4–0 'Dukedog' No. 9024 heads a train towards Criccieth on 15 July 1955.

A.G. Ellis Collection

Dynesu at Borthmadog drwy brydferthwch y wlad mae BR dosbarth 2, 2–6–0 Rhif 78007 ar flaen y tren o Griccieth.

Approaching Porthmadog, through some attractive country, is BR class 2, 2–6–0 No. 78007 on a train from Criccieth.

A.G. Ellis Collection

Yn tynnu dim ond un cerbyd mae 'Prairie tank' Rhif 4549 i gyfeiriad Porthmadog gyda'r tren o Bwllheli.

Hauling only one coach is small 'Prairie' tank No. 4549 as it heads toward Porthmadog with a train from Pwllheli.

A.G. Ellis Collection

'Prairie tank' Rhif 5517 ar flaen y tren yn mynd heibio gorsaf Porthmadog 11 Gorffennaf 1955.

Small 'Prairie' tank No. 5517 heads a train past Porthmadog station on 11 July 1955.

A.G. Ellis Collection

Eto 'Prairie tank' Rhif 4555 ar flaen y tren drwy Porthmadog ar y 13 Gorffenaf 1955.

Another 'Prairie' tank, No. 4555, heads its train through Porthmadog on 13 July 1955.

A.G. Ellis Collection

Yn tynnu'r 'North Wales Land Cruise' am Borthmadog mae cyn-LMS 'Ivatt' dosbarth 2, 2–6–0 Rhif 46428. Taith o amgylch y wlad yn defnyddio'r 'Cambrian line', lein cangen Gaernarfon, 'North Wales Coast line' ar lein o Riwabon i'r Bermo. Roedd yn boblogaidd iawn gyda'r teithwyr. Terfynnodd y bleserdaith pan gauwyd y canghennau a ddefnyddiwyd.

Hauling the North Wales Land Cruise service toward Porthmadog is ex-LMS Ivatt class 2, 2–6–0 No. 46428. The Land Cruises were circular tours, using the Cambrian line, the Caernarfon branch, the North Wales Coast line, and the Ruabon – Barmouth line. They were extremely popular with tourists and were only discontinued when many of the branch lines on which they ran were closed.

A.G. Ellis Collection

Is arwyddion ped-ryran Porthmadog fel yr oeddynt Gorffen-naf 1955.

Lower quadrant signals at Porthmadog, as they appeared in July 1955.

A.G. Ellis Collection

NORTH WALES RADIO LAND CRUISE

by train specially equipped for actual radio reception and descriptive commentary on features of interest en route

A CIRCULAR RAIL TOUR OF OVER 150 MILES EMBRACING SOME OF THE FINEST INLAND AND COASTAL SCENERY IN BRITAIN

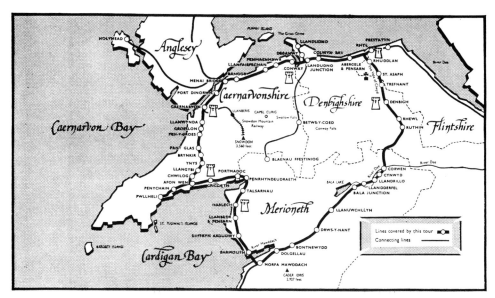

TUESDAYS and THURSDAYS

27th June to 20th July, 1961
(INCLUSIVE)

ALSO

MONDAYS to FRIDAYS

24th July to 8th September, 1961
(INCLUSIVE)

★

FARE	TIME OF DEPARTURE	FROM	ARRIVAL ON RETURN
s. d.	a.m.		p.m.
	10.10	PWLLHELI	5.28B
	10.18	PENYCHAIN	5.13B
	10.33	CRICCIETH	5.14
	10.43	PORTMADOC	5.23
	10.50	PENRHYNDEUDRAETH	5.34
20/-	10.55	TALSARNAU	5.42
	11. 0	HARLECH	5.46
FROM EACH	11. 6	LLANBEDR & PENSARN	5.58
STATION	11.12	DYFFRYN ARDUDWY	6. 0
	11.15	TALYBONT HALT	6. 3
	11.25	BARMOUTH	6.10
	11.45	PENMAENPOOL	7.36C
	11.50	DOLGELLAU	7.41C
	11.25A	BALA	8.42D
	p.m.		
	12.50	CORWEN	9. 2C

1.58 p.m. arrive **RHYL** depart 3.30 p.m.

A—Change at Bala Junction and Corwen.   B—Change at Afon Wen
C—Change at Barmouth.   D—Change at Barmouth and Bala Junction
Children under Three years of age, Free; Three and under Fourteen years of age, Half Fare

BRITISH RAILWAYS

Light meals and refreshments may be obtained from the Cafeteria Car on the train

Sanders Phillips & Co.   · S.W.9   BR. 35021

Hysbyseb i'r 'North Wales Radio Land Cruises' a weithredid o Bwllheli o 1961 ymlaen. Roedd y trenau hyn yn boblogaidd gyda'r twristiaid a pheidiasant weithredu pan fu cau ar nifer fawr o'r canghennau.

An advertisement for the North Wales Radio Land Cruises which were operated from Pwllheli from 1961. These trains were popular with tourists and only ceased operating when many of the branch lines were closed.

'Collett Goods' 0–6–0 ar waith symud cerbyd rheilffordd o'r naill linell i'r llall ym Mhorthmadog ar y 11 Gorffennaf 1955. Porthmadog oedd prif ganolfan cludo llechi o'r chwareli gerllaw, a darparwyd saflinellau eang ar gyfer y trafnidiaeth yma.

Collett Goods 0–6–0 on shunting duties at Porthmadog on 11 July 1955. Porthmadog was a major centre for slate traffic generated from nearby quarries, and extensive sidings were provided to deal with this traffic.

A.G. Ellis Collection

Yn aros ei thro i weithio, 'Collett Goods' 0–6–0 Rhif 2271 yn y saflinellau ym Mhorthmadog ar y 8 Gorffennaf 1954.

Awaiting its turn of duty, Collett Goods 0–6–0 No. 2271 sits in the sidings at Porthmadog on 8 July 1954.

A.G. Ellis Collection

BR dosbarth 2, 2–6–0 Rhif 78006 ar waith symud o'r naill lein i'r llall yn y cwt nwyddau ym Mhorthmadog ar y 13 Gorffennaf 1955.

BR class 2, 2–6–0 No. 78006 shunts at the Porthmadog goods shed on 13 July 1955.

A.G. Ellis Collection

Cyn-LMS 'Stanier 2–6–2 tank' Rhif 40122 yn gorffwyso yn y saflinellau ym Mhorthmadog ar y 13 Gorffennaf 1955.

Ex-LMS Stanier 2–6–2 tank, No. 40122 rests in the sidings at Porthmadog on 13 July 1955.

A.G. Ellis Collection

BR dosbarth 2, 2–6–0 Rhif 78005 ar flaen y tren i Bwllheli drwy Porthmadog ar y 15 Gorffennaf 1954.

BR class 2, 2–6–0 No. 78005 heads a Pwllheli bound train through Porthmadog on 15 July 1954.

A.G. Ellis Collection

Gorsaf Minffordd fel yr oedd yng Ngorffennaf 1954. Yr oedd cyswllt a'r lein lledgul Festiniog yma, fel y medrai'r 'Cambrian Railways' godi'r trafnidio lechi yn deillio o chwareli enfawr Blaenau Ffestiniog.

Minffordd station as it appeared in July 1954. There was an interchange with the narrow gauge Festiniog Railway at this station so that the Cambrian Railways could tap slate traffic emanating from the huge quarries that existed at Blaenau Ffestiniog.

A.G. Ellis Collection

Gorsaf Penrhyndeudraeth Mehefin 1962. Daeth y gweithfa defnydd ffrwydrol gerllaw a llawer o fusnes i'r rheilffordd, ac felly greu y saflinellau yma.

Penrhyndeudraeth station in June 1962. An explosives factory, nearby, generated a lot of business for the railway, hence the existence of sidings here.

A.G. Ellis Collection

Safle Tŷ Gwyn Gorffennaf 1954 fel aml safle bychan ar y 'Cambrian line'. Er mor fler ei golwg, mae'r orsaf yma o hyd.

Tŷ Gwyn Halt in July 1954, typical of many of the small halts on the Cambrian line. Despite the dilapidated appearance of the station at this time, it still exists today.

A.G. Ellis Collection

Safle Llandecwyn, esiampl arall o safle ar ochr y 'Cambrian Coast line'. Mae'r safle'n daclus yn y llun yma yn 1954.

Llandecwyn Halt, another example of a wayside halt on the Cambrian Coast line. The halt appears tidy in this 1954 view.

A.G. Ellis Collection

Gorsaf Harlech gyda 'Collett Goods' 0–6–0 Rhif 2202 ar flaen tren lleol. Tynnwyd y llun yma ar y 25 Awst 1959.

Harlech station, with Collett Goods 0–6–0 No. 2202 at the head of a local train. This scene was photographed on 25 August 1959.

A.G. Ellis Collection

Porth Gorllewin twnnel y Bermo fel yr oedd yn 1961.

West portal of Barmouth tunnel as it appeared in 1961.

D. Ibbotson

Gorsaf y Bermo ar yr 11 Gorffennaf 1955. Roedd Bermo yn gyffordd paysig ar gyfer y dre gwyliau. Ynghyd a'r 'Cambrian line' roedd lein Riwabon yn terfynnu yma. Bu cau y lein i Riwabon yn y 1960au, a'r orsaf wedi distewi yn ystod y blynyddoedd diweddar.

Barmouth station on 11 July 1955. Barmouth was an important junction, serving a holiday town. As well as the Cambrian line, the Ruabon line also terminated here. The Ruabon line closed in the 1960s and the station has become much quieter in recent years.

A.G. Ellis Collection

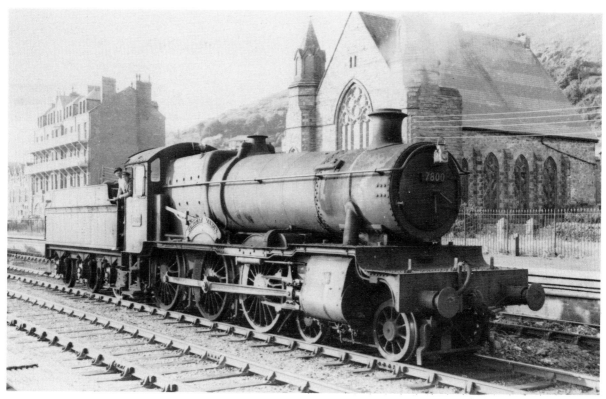

Yr hynaf o'r GWR dosbarth 'Manor', Rhif 7800 'Torquay Manor' ar seibiant yn y Bermo ar ol dod a'r tren o Riwabon yno ar yr 11 Gorffennaf 1955. Bu llawer o ddefnydd o'r 4–6–0 dosbarth 'Manor' ar y lein o Riwabon i'r Bermo ar y pryd.

Doyen of the GWR 'Manor' class, No. 7800, 'Torquay Manor' rests at Barmouth after bringing in a train from Ruabon on 11 July 1955. The 4–6–0 'Manor' class were extensively used on the Ruabon – Barmouth line at this time.

A.G. Ellis Collection

Tren lleol yn aros i ymadael o'r bae lwyfan yng Ngorsaf y Bermo, gyda'r 'Pannier tank' Rhif 7434 ar y blaen. Mae'n debyg fod y tren yma'n mynd i'r Bala.

A local train waits to depart from the bay platform at Barmouth station, headed by Pannier tank No. 7434. This train is probably going to Bala Junction.

A.G. Ellis Collection

Mynediad i bont y Bermo yn 1957. Bu aml gais i gau y 'Cambrian Coast line' ers adroddiad Dr Beeching. Gorthwynebwyd y cwbl yn llayddiannus, ac yr unig fygythiad go iawn oedd pla y pryf toredo i'r pren. Gorfodwyd i BR gau y bont yn 1980 oherwydd y pla, a bu llawer yn ofni na fuasai'n agor byth eto, ac felly yn sicrhau diwedd i'r 'Cambrian Coast line'. Ond wrth lwc cafodd y Bont ei ail agor, ac ymddengys fod y lein yn ddiogel o hyn ymlaen.

Entrance to Barmouth bridge in 1957. Several attempts were made to close the Cambrian Coast line in the years since Dr Beeching published his famous report in 1963. All were successfully resisted and the only real threat to the line was an infestation by the toredo worm into the wooden structure of the Barmouth bridge. British Rail were forced to close the bridge in 1980 because of the infestation and many feared that it would never re-open, effectively closing the rest of the Cambrian Coast line. Fortunately the bridge was re-opened and the line now appears to be safe from further closure threats.

D. Ibbotson

Arwydd ddeuffordd pell anghyffredin ar ganol bont y Bermo yn 1958. Codwyd bont y Bermo er mwyn cludo'r rheilffordd dros y Mawddach a mae'n cael ei ystyrsed fel yr adeiladwaith mayaf argraffol ar y cyfan o'r 'Cambrian Coast line'.

An unusual two way distant signal in the middle of Barmouth bridge in 1958. Barmouth bridge was constructed to enable the railway to cross the Mawddach estuary, and is still regarded as the most impressive structure on the whole of the Cambrian Coast line.

D. Ibbotson

Golygfa bell o ffordd bont y Bermo ar leni y Cambria; Swgwyn 1956.
A distant view of the Barmouth viaduct on the Cambrain Coast line; Whitsun 1956.

Arthur Truby

Gorsaf Tywyn fel yr oedd Gorffennaf 1955.
Tywyn station as it appeared in July 1955.

A.G. Ellis Collection

Fel mae'r 'Cambrian Coast line' yn gadael Sir Gwynedd, mae'n mynd drwy orsaf Aberdyfi ble'r oedd ei gwt bychan arwydd ei hun. Oddiyma mae'r lein yn mynd ymlaen i Gyffordd Dyfi ac ymlaen i'r Amwythig.

As the Cambrian Coast line leaves the county of Gwynedd, it passes through Aberdovey station which, as in this 1963 view, had its own small signal cabin. From here, the line goes on to Dovey Junction and on toward Shrewsbury.

D. Ibbotson

Rhan o gangen Rhiwabon – Bermo ym Mhenmaenpool yn 1956.

A section of the Ruabon – Barmouth branch at Penmaenpool in 1956.

Arthur Truby

39

Dolgellau (sillefwyd fel Dolgelly y pryd hynny) fel yr oedd wrth edrych drwy'r bont ffordd yn 1958.

Dolgellau (then spelt Dolgelly) station, as it appeared in 1958, looking through a road bridge. The station served the very attractive county town of Merionethshire.

D. Ibbotson

Dolgellau oedd y man lle roedd yr hen 'Cambrian Railways' yn cyfarfod GWR a'r lein o Riwabon i'r Bermo a gauodd yn 1965.

Dolgellau was the point where the old Cambrian Railways met the GWR on the old Ruabon – Barmouth line, the line closing in 1965.

D. Ibbotson

Gorsaf Dolgellau fel yr oedd yn 1962, tair blynedd cyn ei chau. Bu llifogydd difrifol yno yn y gaeaf yn 1965 yn gorfodi cau y linell o Riwabon i'r Bermo, er fod adroddiad Dr Beeching yn cymeradwyo a BR wedi cofnodi cau yn 1966.

Dolgellau station as it was in 1962, three years before closure. Severe flooding at Dolgellau in the winter of 1965 forced closure on the Ruabon – Barmouth line even though the Beeching report had recommended it and BR had scheduled closure in 1966.

A.G. Ellis Collection

Cyffordd y Bala ydoedd man cyfarfod lein Rhiwabon i Bermo a lein y Bala i Flaenau Ffestiniog. Dyma BR dosbarth 'standard 4', 4–6–0 Rhif 75021 yn cyrraedd Cyffordd y Bala o Riwabon am 2.02 p.m. ar y 7 o Dachwedd 1964. Ar y pryd yr oedd cangen Blaenau Ffestiniog wedi ei chau, ac nid oedd ond blwyddyn yn weddill oes i lein Rhiwabon a Bermo. Yr oedd gwasanaeth ol a blaen yn parhau i'r Bala o hyd, ac ar y dydd hwn gweithredi'r y gwasanaeth gan 'Ivatt' 2–6–2 tanc Rhif 41204.

Bala junction was the point where the Ruabon – Barmouth line met up with the Bala – Blaenau Ffestiniog branch. On 7 November 1964, BR standard class 4–4–0 No. 75021 arrives at Bala Junction with the 2.02 p.m. from Ruabon. At this time, the branch to Blaenau Ffestiniog had closed, and the line between Ruabon and Barmouth only had a year of life left. A shuttle to Bala was still operating and was operated, on this day, by Ivatt 2–6–2 tank No. 41204.

Keith Smith

'Ivatt' 2–6–2 tanc Rhif 41204 yn tynnu'r gwasanaeth un cerbyd rhwng gorsaf y Bala a Cyffordd y Bala.

Ivatt 2–6–2 tank No. 41204 is seen hauling the one coach shuttle service between Bala Junction and Bala station.

Keith Smith

Gorsaf pan fo galw Llyn y Bala ar y lein Rhiwabon i'r Bermo yn 1962. Mae'r orsaf yn dal mewn bodolaeth ac fe'i harferir yn awr fel mau terfyn y rheilffordd lledgul Llyn y Bala.

Bala Lake Halt on the Ruabon – Barmouth line, in 1962. The halt is still in existence and is now used as a terminus by the narrow gauge Bala Lake Railway.

A.G. Ellis Collection

Bu cau y gangen o Bala i Blaenau Ffestiniog gan BR yn 1960, oherwydd prinder defnyddio. Dyma orsaf Frongoch dwy flynedd wedi'r cau a gwelir fod natur yn adennill tir yno.

The Bala – Blaenau Ffestiniog branch was closed by BR in 1960, traffic being very small indeed. Here, Frongoch station is seen two years after closure and appears to be returning to nature.

Lens of Sutton

Gorsaf Trawsfynydd yn fuan wedi cau'r gangen i Blaenau Ffestiniog. Mae gwelu'r cledrau rhwng Bala a Blaenau Ffestiniog yno o hyd, a'r rheiliau yn eu lle o Drawsfynydd i Blaenau Ffestiniog ar gyfer atomfa Trawsfynydd.

Trawsfynydd station shortly after closure of the branch to Blaenau Ffestiniog. The trackbed between Bala and Blaenau Ffestiniog is still in existence with track still *in situ* from Trawsfynydd to Blaenau Ffestiniog to serve the Trawsfynydd nuclear power station.

Lens of Sutton

Gorsaf Trawsfynydd wrth edrych tua Blaenau Ffestiniog yn dangos adeiladau'r orsaf, cwt arwydd, a'r cwt peiriant.

Trawsfynydd station looking towards Blaenau Ffestiniog, shortly after closure, showing the station buildings, signal-box, and loco-shed.

Lens of Sutton

Terfynfa'r gangen o'r Bala i Blaeanau Ffestiniog, gorsaf Ganol Blaenau Ffestiniog fel yr oedd Mai 1957. Codwyd gorsaf a llinnell gan GWR er mwyn elwa oddiar gludo llechi o'r chwareli.

Terminus of the Bala – Blaenau Ffestiniog branch, Blaenau Ffestiniog Central station as it was in May 1957. The station and line were built by the GWR to tap slate traffic from the quarries of the town.

F.W. Shuttleworth

Gorsaf Ganol Blaenau Ffestiniog oedd un o'r ddwy ar gyfer y dref, ond fel y gwelir yn y llun nid oedd cysylltiad rhyngddynt. Er cau cangen y Bala erys yr orsaf hon ar gyfer cangen Dyffryn Conwy a Rheilffordd Festiniog.

Blaenau Ffestiniog Central station was one of two serving the town, although, as can be seen in this view, there was no physical connection between the two. Despite closure of the Bala branch, this station remains open to serve the Conwy Valley branch and the Festiniog Railway.

F.W. Shuttleworth

Yr orsaf arall ym Mlaenau Ffestiniog oedd LNWR ar gyfer cangen Dyffryn Conwy a welir yma yn 1950au. Ac fel yr oedd hi gyda'r GWR, adeiladwyd y llinell ar gyfer trafnidiaeth llechi. Daeth LNWR i'r dref yn 1881 ychydig o flynyddau cyn GWR. Cauwyd yr orsaf yn 1964 pan wnaethwyd gysylltiad at yr orsaf arall ar gyfer y trafnidiaeth i orsaf pwer Trawsfynydd, a felly gorsaf GWR oedd yr unig un ar gyfer y dref.

The other station at Blaenau Ffestiniog was the LNWR one to serve the Conwy Valley branch, seen here in the late 1950s. As with the GWR, the line was built for slate traffic, and the LNWR arrived in the town in 1881, a few years ahead of the GWR. The station closed in 1964 when a connection was made to the other station for traffic to Trawsfynydd power station and the GWR station became the sole station serving the town.

Lens of Sutton

Mae llinell Dyffryn Conwy yn rhedeg heibio rhan o olygfeydd prydferthaf Gwynedd fel y gwelir yn y llun o orsaf Pont y Pant yn y 1960au. Bygythiwyd cau y gangen ar ol adroddiad Dr Beeching, ond gwrthwynebwyd hyn yn lwyddiannus ac yn awr mae'n brysur iawn gyda'r ymwelwyr.

The Conwy Valley line runs through some of the most attractive scenery in Gwynedd, as can be seen in this 1960s view of Pont-y-Pant station. The branch was threatened with closure, following the Beeching report, but was successfully resisted and is now well used in the tourist season.

Lens of Sutton

Rhed llinell Dyffryn Conwy o Blaenau Ffestiniog i Landudno ar y prif lein o Gaer i Gaergybi gan droelli'n dyn i orsaf Betws y Coed fel y gwelir yn y llun cynnar yn y 1960au.

The Conwy Valley branch runs from Blaenau Ffestiniog to Llandudno Junction, on the Chester to Holyhead main line, and rounds a sharp curve into Betws-y-Coed station, as can be seen in this early 1960s view.

Lens of Sutton

Golygfa o'r bontdroed yng Ngorsaf Betws y Coed fel yr oedd yn y 1960au cynnar. Saif un llawer mwy dinod ar yr orsaf fodern a syml ar gyfer Rheilffordd Dyffryn Conwy.

A view of the footbridge at Betws-y-Coed station, as it appeared in the early 1960s. A more modest structure now stands at the simplified modern station and serves the Conwy Valley Railway Museum.

Lens of Sutton

Gorsaf Llanrwst a Trefriw yn y 1950au yn gyfan gyda'r dolen heibiol.

Llanrwst and Trefriw station as it appeared in the late 1950s, complete with passing loop.

Lens of Sutton

Yn dilyn y cynllun moderneiddio, yn lle'r tynnwyr stem daeth cyn-LMS 'Ivatt 2–6–2 tanks' i'r amlwg yn y 1950au. Yma ym Metws y Coed mae'r un cyntaf o hiliad DMU dau gerbyd yn gwneud tren i Blaenau Ffestiniog. Mae'r orsaf ei hun wedi newid. Yn awr nid oes ond un llwyfan yno, ar yr ochr mynd i Gyffordd Llandudno codwyd dolen heibiol oddiyno a nid oes cwt arwydd mwyach. Mae Oriel Rheilffordd Dyffryn Conwy yno yn awr.

Replacements for steam traction, in the shape of ex-LMS Ivatt 2–6–2 tanks, appeared in the mid-1950s following the 'Modernization Plan'. Here at Betws-y-Coed is one of the first generation DMU two car sets forming a train for Blaenau Ffestiniog. The station itself has changed: there is now only one platform, on the Llandudno Junction side; the passing loop has been lifted, and there is no signal-box. The Conwy Valley Railway Museum now occupies the site of the old platform.

Lens of Sutton

Gorsaf Glan Conwy yn y 1950au hwyr. Dyma'r orsaf olaf ar y gangen. Nodwch yr ardd daclus, sydd wedi mynd i abergofiant yma, oherwydd malurio gan fandaliaid yr ardal.

Glan Conway station in the late 1950s. This is the last station on the branch. Note the well-kept garden, something that is long forgotten at this station as it has since suffered the attention of local vandals.

Lens of Sutton

O Glan Conwy mae lein Dyffryn Conwy yn gwyro'n eang i groesi afon Conwy, ac ymuno a'r prif lein o Gaergybi i'r dwyrain o Gyffordd Llandudno. Mae diwedd y gangen i'w weld yn y llun yma gyda gwibdren i Llandudno yn mynd heibio.

From Glan Conway, the Conwy Valley line takes a wide curve, crosses the River Conwy and joins the main Chester to Holyhead line just east of Llandudno Junction. The end of the branch is seen in this view as an express for Llandudno passes by.

Peter Owen

Cyn-LMS 'Black 5', 4–6–0 Rhif 45149 yn neshau at Gyffordd Llandudno gyda'r tren am Llandudno. Ar y dde mae tren Flaenau Ffestiniog, tra ar y chwith saif becws 'Country Maid'.

Ex-LMS 'Black 5', 4–6–0 No. 45149 approaches Llandudno Junction with a train for Llandudno. On the right, is a train from Blaenau Ffestiniog, while the building on the left is the 'Country Maid' bakery.

Peter Owen

'Black 5' arall yn gadael Cyffordd Llandudno gyda tren i Gaer. Mae gan y peiriant gludwr glo sy'n pwyso'u hunan.

Another 'Black 5' leaves Llandudno Junction with a train for Chester. The locomotive is fitted with a self weighting tender.

Peter Owen

Yn union i'r dwyrain o Gyffordd Llandudno, ar dren nwyddau'n myned drwodd mae cyn-LMS 'Patriot' 4–6–0 Rhif 45530 'Sir Frank Ree' wedi ei hail adeiladu .

Just east of Llandudno Junction station, on a through freight, is ex-LMS rebuilt 'Patriot' 4–6–0 No. 45530 'Sir Frank Ree'.

Peter Owen

Par o'r 'Black 5', 4–6–0 ar flaen y tren drwy Cyffordd Llandudno ac yn mynd allan o Wynedd wrth fynd ymlaen am Fae Colwyn.

A pair of 'Black 5' 4–6–0s head a train through Llandudno Junction, and out of Gwynedd, as they proceed toward Colwyn Bay.

Peter Owen

Daw 'Fairburn' 2–6–4 tank Rhif 42236 a thren lleol o Rhyl i Gyffordd Llandudno.

Fairburn 2–6–4 tank No. 42236 brings a local train from Rhyl into Llandudno Junction station.

Peter Owen

Dyma 'Jubilee' 4–6–0 anadnabyddus di-enw yn angen cymorth gan y craen stem ar ol dod oddiar y cledrau tu allan i Gyffordd Llandudno.

An unidentified 'Jubilee' class 4–6–0 requires help from the steam crane after becoming derailed just outside Llandudno Junction station.

Peter Owen

Cyn-LMS 'Fowler' 4F 0–6–0 Rhif 44389 ar waith mynd nol-a-'mlaen yng Nghyffordd Llandudno.

Ex-LMS Fowler 4F 0–6–0 No. 44389 on shunting duties at Llandudno Junction.

Peter Owen

Cyn-LMS 'Jinty' 0–6–0 tank Rhif 47558 yn gweithio tren nwyddau drwy orsaf Cyffordd Llandudno.

Ex-LMS 'Jinty' 0–6–0 tank No. 47558 works a freight train through Llandudno Junction station.

Peter Owen

'Princess-Coronation' pacific Rhif 46235 'City of Birmingham' yn aros am adael Cyffordd Llandudno gyda'r tren Euston. Mae'r peiriant yma yn un o dri yn unig o'r dosbarth a gafodd eu cadw, a mae'n arddangos yn llonydd yn y 'Museum of Science and Industry', Birmingham.

'Princess Coronation' pacific No. 46235 'City of Birmingham' awaits departure from Llandudno Junction with a Euston train. The locomotive is one of only three of this class to have been preserved and is a static exhibit at the Museum of Science and Industry, Birmingham.

Peter Owen

Hughes-Fowler 'Crab' 2–6–0 anadnabyddus yn hebrwng gwibdaith i Gyffordd Llandudno. Mae'n debyg y bydd yn mynd ymlaen at Wersyll gwyliau Butlins, ger Pwllheli, gan redeg trwy Bangor a'r gangen i Afonwen ac yna y 'Cambrian Coast line' i Benychain.

Unidentified Hughes-Fowler 'Crab' 2–6–0 brings an excursion train into Llandudno Junction. The train will probably work through to Butlins holiday camp, near Pwllheli, running through Bangor, along the Menai Bridge to Afon-wen branch, and on to the Cambrian Coast line to Penychain.

Peter Owen

Pen dwyreiniol gorsaf Cyffordd Llandudno fel yr oedd ar ganol y 1960au, gydag estyniad pren i'r llwyfan a byddin o arwyddbostion. Roedd yr orsaf ar gyfer y prif lein rhwng Llundain a Chaergybi, cangen Dyffryn Conwy, a Llandudno, a maent i'w cael yno heddiw.

Eastern end of Llandudno Junction station as it was in the mid-1960s, complete with wooden platform extension and an array of semaphore signals. The station served the main line between London and Holyhead, the Conwy Valley branch, and the Llandudno branch, all of which remain today.

Peter Owen

'Caprotti valve-geared' 'Black 5' 4–6–0 Rhif 44686 yn codi dwr yng ngorsaf Cyffordd Llandudno cyn mynd a'r tren i Fangor.

Caprotti valve-geared 'Black 5' 4–6–0 No. 44686 takes on water at Llandudno Junction station before taking her train on to Bangor.

Peter Owen

Cyn-LMS 'Princess-Coronation' pacific Rhif 46238 'City of Carlisle' yn aros yng Nghyffordd Llandudno gyda'r tren i Gaergybi.

Ex-LMS 'Princess-Coronation' pacific No. 46238 'City of Carlisle' waits at Llandudno Junction with a train for Holyhead.

Peter Owen

Golwg ardderchog o'r 'City of Carlisle' yng Nghyffordd Llandudno.

A fine view of 'City of Carlisle' at Llandudno Junction.

Peter Owen

'City of Birmingham' yn paratoi i adael Cyffordd Llandudno gyda thren i Gaergybi. Ers cadwraeth, bu amryw ymdrech anllwyddiannus i ddod a'r peiriant allan o'r oriel yn Birmingham a'i atgyweirio i redeg unwaith eto.

'City of Birmingham' prepares to depart from Llandudno Junction with a train for Holyhead. Since preservation, there have been numerous unsuccessful efforts to bring the engine out of the museum in Birmingham and restore it to running order.

Gwyn Roberts

Golygfa cyffredin o ben gorllewin gorsaf Cyffordd Llandudno gyda 'Princess-Coronation' pacific yn gadael ar ddiwrnod gwlyb yn 1960.

A general view of the western end of Llandudno Junction station, with a 'Princess-Coronation' pacific departing, on a wet day in 1960.

Peter Owen

65

Cwt peiriant Cyffordd Llandudno yn y 1960au. Mae pum dosbarth gwahanol o beiriannau i'w gweld yma 4F 0–6–0, 'Black 5', 8F 2–8–0, cyn-LNER B1 4–6–0, a BR 'standard' dosbarth 5.

Llandudno Junction loco-shed in the mid-1960s. There are five different classes of engines in this view, a 4F 0–6–0, 'Black 5', 8F 2–8–0, ex-LNER B1 4–6–0, and BR standard class 5.

Peter Owen

BR 'Britannia' pacific Rhif 70027, heb addurniadau ac yn edrych yn fler wedi hir drafaelio yn y 1960au gyda tren Caergybi yng Nghyffordd Llandudno.

BR 'Britannia' pacific, No. 70027, shorn of trimmings and looking the worse for wear, in the early 1960s, with a Holyhead train at Llandudno Junction.

Gwyn Roberts

'Patriot Rhif 45530 'Sir Frank Ree' wedi ei aildrwsio yn gadael Cyffordd Llandudno ar ddiwrnod cymylog yn 1964.

Rebuilt 'Patriot' No. 45530 'Sir Frank Ree' departs from Llandudno Junction on a dull June day in 1964.

Peter Owen

Cyn-LMS 'Stanier' 8F 2–8–0 Rhif 48771 yn sefyll tu allan i gwt Cyffordd Llandudno yn y 1960au. Defnyddiwyd y rhain yn aml ar drennau cludo cerrig trwm o Benmaenmawr.

Ex-LMS Stanier 8F 2–8–0 No. 48771 stands outside Llandudno Junction shed in the early 1960s. These engines were often used on heavy stone trains from Penmaenmawr.

Peter Owen

Eto 8F Rhif 48246, or ffordd y cwt yng Nghyffordd Llandudno.

Another 8F, No. 48246, on the shed road at Llandudno Junction.

Peter Owen

Awgrym o'r dyfodol: Brush Type 2 Rhif D7589 Bo-Bo Diesel-Electric injan yn sefyll rhwng yr hen drefn sef 'Jinty' 0–6–0 tank Rhif 47507 a 8F 2–8–0 Rhif 48655 yng nghwt Cyffordd Llandudno.

The shape of things to come: Brush Type 2 No. D7589 Bo-Bo diesel-electric locomotive stands between the old order, in the shape of 'Jinty' 0–6–0 tank No. 47507 and 8F 2–8–0 No. 48655, at Llandudno Junction shed.

Peter Owen

Cyn-LNER Thomspon B1 4–6–0 Rhif 61194 yn cael seibiant yng Nghyffordd Llandudno wedi dod a gwibdaith o ogledd-dwyrain Lloegr i Landudno. Tua terfyn amser stem gwelwyd y rhain yn aml yn yr ardal yn ystod yr haf gyda thrennau o ddwyrain Lloegr.

Ex-LNER Thompson B1 4–6–0 No. 61194 rests at Llandudno Junction after bringing in an excursion from the north east of England to Llandudno. In the final years of steam, these engines could be seen frequently in the area during the summer with trains from eastern England.

Peter Owen

Tu mewn i gwt Cyffordd Llandudno yn y 1960au gyda 'Princess Coronation' pacific Rhif 46248 'City of Leeds' ynddo.

Inside Llandudno Junction shed in the mid-1960s, with 'Princess-Coronation' pacific No. 46248 'City of Leeds' in residence.

Peter Owen

'Britannia' pacific Rhif 70041 y tu allan i sied Cyffordd Llandudno ym mlwyddyn olaf stem yng Ngwynedd.

'Britannia' pacific No. 70041 outside Llandudno Junction shed in the final year of steam in Gwynedd.

Peter Owen

Ymwthiwr arall yng Nghyffordd Llandudno oedd y cyn-GWR 'Collett Goods' 0–6–0 Rhif 3208. Bu'r peiriant yn aros yma ystod y rhew mawr 1963 fel peiriant aradi eira.

Another interloper at Llandudno Junction was this ex-GWR Collett Goods 0–6–0 No. 3208. This engine was stationed here during the 'big freeze' of 1963 as a snow-plough engine.

Peter Owen

Cyffordd Llandudno oedd man cadw peiriannau yn defnyddio y lein gyntaf i Ddyffryn Conwy, a gafodd ei droi pan ail godwyd yr orsaf yn 1897. Yma mae 'Fowler' a 'Stanier' tanks yn aros eu tynged yn y 1960au cynnar.

Llandudno Junction was used as a store for locomotives, using the original Conwy Valley line, which had been diverted when the station was rebuilt in 1897. Here, Fowler and Stanier tanks await their fate in the early 1960s.

Peter Owen

Fel daeth diwedd oes y stem yn nês, tyfodd y rhes o beiriannau yn aros eu tynged. Ar y blaen mae 'Black 5' 4–6–0 Rhif 44686 gyda peiriannau tanc a chyn-'Lancashire and Yorkshire' Aspinall 0–6–0 tender injan.

As the end of steam drew ever nearer, the line of locos, awaiting their fate, grew longer. At the front of this line is 'Black 5' 4–6–0 No. 44686, along with tank engines and an ex-Lancashire and Yorkshire Aspinall 0–6–0 tender engine.

Peter Owen

Rhes o cyn-'Midland Railway' 3F 0–6–0s yn aros eu tynged tu allan i gwt Cyffordd Llandudno.

A row of ex-Midland Railway 3F 0–6–0s await their fate outside Llandudno Junction shed.

Peter Owen

Rhes o cyn-'Midland Railway' 4–4–0 'Compounds' yn gelain ar yr hen lein i Ddyffryn Conwy.

A row of ex-Midland Railway 4–4–0 'Compounds' lie 'dead' on the old Conwy Valley line.

Peter Owen

Wedi diosg o'r plât rhifry, y bocs mwg, ac arwydd cwt mae 'Jubilee' 4–6–0 Rhif 45595 'Southern Rhodesia' tu allan i gwt Cyffordd Llandudno.

Shorn of smokebox number-plate, and shedcode is 'Jubilee' class 4–6–0 No. 45595 'Southern Rhodesia' outside Llandudno Junction shed.

Peter Owen

'Caprotti valve-geared' 'Black 5' 4–6–0 Rhif 44738 ar flaen rhes o beiriannau wedi eu galw'n ol o'r un dosbarth ar ffordd y trofwrdd yng nghwt Cyffordd Llandudno.

Caprotti valve-geared 'Black 5' 4–6–0 No. 44738 heads a line of withdrawn engines of the same class on the turntable road at Llandudno Junction shed.

Peter Owen

Yn ystod amser llawen gynt, mae'r BR 'Britannia' pacific anadnabyddus yn chwibanu wrth adael Cyffordd Llandudno gyda thren i Gaergybi. Yn y pellter mae'r bontdroed a groesodd y gangen i Landudno.

In happier times, an unidentified BR 'Britannia' class pacific whistles her departure from Llandudno Junction with a train for Holyhead. In the distance is the footbridge that once crossed the Llandudno branch.

Peter Owen

Cyn-LNER pacific 'Flying Scotsman' mewn cadwraeth gyda'r perchennog Alan Pegler arni yn paratoi i adael Llandudno gyda gwibdaith y 'Gainsborough Railway Society' o Doncaster yn Mehefin 1966. Bu i'r peiriant ail ymddangos ar y lein o Gaer i Gaergybi ar ol trafnidiaeth llwyddiannus yn Awstralia yn yr haf 1990 yn tynnu gwibdeithiau y 'North Wales Coast Express'.

Preserved ex-LNER pacific 'Flying Scotsman', with owner Alan Pegler on board, prepares to leave Llandudno with the Gainsborough Model Railway Society excursion from Doncaster in June 1966. The engine reappeared on the Chester to Holyhead line, following her successful Australian tour, in the summer of 1990 hauling the 'North Wales Coast Express' excursions.

Phillip Vaughan Davies Collection

Cyn-LNER B1 4–6–0 Rhif 61249 'Fitzherbert Wright' yn tynnu gwibdaith i Landudno drwy Deganwy ar 27 Gorffennaf 1963.

Ex-LNER B1 4–6–0 No. 61249 'Fitzherbert Wright' hauls an excursion for Llandudno through Deganwy on 27 July 1963.

Peter Owen

Cyn-LMS dosbarth 'Patriot' (peb ail drwsio) 4–6–0 Rhif 45507 'Royal Tank Corps' yn nesau at Gyffordd Llandudno o gangen Llandudno gyda tren gogledd gorllewin Lloegr yn y 1960au cynnar.

Ex-LMS unrebuilt 'Patriot' class 4–6–0 No. 45507 'Royal Tank Corps' approaches Llandudno Junction from the Llandudno branch with a train for the north-west of England in the early 1960s.

Gwyn Roberts

Wedi gadael Cyffordd Llandudno mae'r prif lein yn gwyro'n eang, ac yn awr wedi newid llawer oherwydd datblygiad yr A55 newydd tua Conwy. Yn y cefndir ar y chwith yn y llun mae Castell Conwy a'r ceubont sy'n cludo'r rheilffordd dros aber Conwy.

After leaving Llandudno Junction, the main line takes a sweeping curve, now much changed through development of the new A55 Expressway road, as it heads toward Conwy. On the left background of this view is Conwy castle and the tubular bridge which carries the railway over the Conwy estuary.

Peter Owen

BR 'Britannia' pacific Rhif 70033 'Charles Dickens' yn rhedeg peiriant ysgafn i gyfeiriad Cyffordd Llandudno ar al dod trwy geubont Robert Stephenson. Roedd y peiriannau hyn i'w gweld yn aml ar arfordir Gogledd Cymru ar ol eu danfon yno o'r prif lein ar arfordir y Gorllewin ar ol 'dieseleiddio'.

BR 'Britannia' pacific No. 70033 'Charles Dickens' runs light engine towards Llandudno Junction after passing through Robert Stephenson's tubular bridge at Conwy. These engines became a familiar sight on the North Wales coast after they had been transferred from the West Coast main line following dieselization.

Peter Owen

Gorsaf Conwy fel yr oedd yn y 1950au. Bu cau yr orsaf yn 1966 a dymchwel yr adeiladau oll.

Conwy station as it appeared in the 1950s. The station was closed in 1966 and all buildings were demolished.

Lens of Sutton

Golwg eto ar orsaf Conwy yn y 1950au. Agorwyd gorsaf newydd yn 1987 ond mae'n llawer mwy cwta na'r un gyntaf.

Another view of Conwy station in the 1950s. A new station was opened in 1987 although it is very much shorter than the original.

Gwibdren yn gyrru drwy'r bwa ar ddull y canol oesau yng Nghonwy i gyfeiriad Cyffordd Llandudno.

An express passes through the medieval style arch at Conwy station as it heads toward Llandudno Junction.

A2 pacific Rhif 60532 'Blue Peter' wrth geg y genbont yng Nghonwy.

A2 pacific No. 60532 'Blue Peter' at the mouth of the tubular bridge in Conwy.

Peter Owen

Dyma'r unig BR 8P 'Caprotti valve-geared' pacific Rhif 71000 'Duke of Gloucester', prin ei gweled ar arfordir Gogledd Cymru. Tynnwyd ei lun yma ar dren teithwyr yn mynd i lawr 21 Gorffennaf 1962 ychydig cyn ei dynnu'n ol o wasanaeth. Yn awr ar ol cadw a chynnal ymwelodd a Arfordir Gogledd Cymru yn yr haf 1990, yn wych ei olwg er clod i'r adferwyr fel y gwibiau ar hyd y lein bennaf.

The only BR 8P Caprotti valve-geared pacific No. 71000 'Duke of Gloucester', was rarely seen on the North Wales coast. It was photographed here on a 'Down' passenger train on 21 July 1962 shortly before withdrawal from service. Now preserved and restored, the engine visited the North Wales coast in the summer of 1990, making a glorious sight, and a credit to its restorers, as it sped along the main line.

Peter Owen

'Black 5' 4–6–0 wrth ymyl Penmaenbach, i'r gorllewin o Gonwy, gyda thren i Fangor ar 21 Gorffennaf 1962.

'Black 5' 4–6–0 nears Penmaenbach, just west of Conwy, with a train for Bangor on 21 July 1962.

Peter Owen

Dosbarth 5 4–6–0 Rhif 44774 yn mynd drwy Pen-maenbach, peiriant ysgafn ar ei ffordd i Gyffordd Llandudno, Mai 1964.

Class 5 4–6–0 No. 44774 passes through Penmaen-bach, light engine, on its way to Llandudno Junction in May 1964.

Peter Owen

BR 'Britannia' pacific Rhif 70031 'Byron' yn rhuthro allan o dwnnel Penmaenbach gyda gwibdren am i fyny 21 Gorffennaf 1962.

BR 'Britannia' pacific No. 70031 'Byron' bursts out of Penmaenbach tunnel with an 'Up' express on 21 July 1962.

Peter Owen

Anadnabyddus dosbarth 5, 4–6–0 yn tynnu tren teithwyr i gyfeiriad Griw ar ddiwrned llwyd yn ystod haf 1964.

Unidentified class 5, 4–6–0, hauling a passenger train for Crewe, passes through Penmaenbach on a grey day during the summer of 1964.

Peter Owen

'Fowler 2–6–4 tank' mewn cyflwr braidd yn fudr yn rhedeg wysg ei gefn drwy Penmaenbach ar ei ffordd i Gyffordd Llandudno yn 1962.

Fowler 2–6–4 tank, in rather dirty condition, runs bunker first through Penmaenbach on its way to Llandudno Junction in 1962.

Peter Owen

Yn dilyn ar drydaneiddio prif lein Arfordir y Gorllewin cafod y 'Princess-Coronation' pacifics, o Criw, ei chyflwyno i lein Caer i Gaergybi. Yma mae Rhif 46257 'City of Salford' yr olaf o'r dosbarth, wedi ei hadeiladu yn 1947, ar flaen y gwibdren o Gaergybi i Birmingham i'r dwyrain o Benmaenmawr ar 17 Awst 1964.

Following the electrification of the West Coast main line, the 'Princess-Coronation' pacifics, based at Crewe, were introduced on to the Chester and Holyhead line. Here, No. 46257 'City of Salford' the last of the class, built in 1947, is at the head of a Holyhead to Birmingham express just east of Penmaenmawr on 17 August 1964.

Peter Owen

Yr holl bresennol 'Black 5s' oedd yn fwyaf cyffredin o'r peiriannau stem ar yr arfordir ar ol yr Ail Ryfel Byd. Yn y dechrau cyflwynwyd hwy i'r ardal yn 1937 a'r diwethaf i fynd pan ddiflanodd stem yn bendant yn 1965. Gwelir Rhif 45275 i'r dwyrain o Benmaenmawr gyda gwibdren i Fangor yn gynnar 1960au.

The ubiquitous 'Black 5s' were the most common steam engines on the coast after the Second World War. Originally they were introduced into the area in 1937 and were the last to go when steam finally disappeared in 1965. No. 45275 is seen east of Penmaenmawr with an excursion train for Bangor in the early 1960s.

Peter Owen

Ymddangosodd y BR eu cynllun 'standard' ar Arfordir Gogledd Cymru o'r 1950au ar drenau teithwyr a nwyddau. Gwelir yma y dosbarth 'standard 5', 4–6–0 Rhif 73130 ar dren yn mynd lawr o Gyffordd Llandudno i Fangor ar ddydd cymylog yn 1964.

The BR standard designs appeared on the North Wales coast from the mid-1950s on passenger and freight trains. The standard class 5, 4–6–0 No. 73130 is seen here on a 'Down' passenger train from Llandudno Junction to Bangor on a cloudy day in 1964.

Peter Owen

'Black 5' anadnabyddus yn rhuthro tuag at y trosbont sy'n arwaini lety i efrydwyr lleol, i'r dwyrain o Benmaenmawr gyda thren teithwyr am i fyny i Griw yn ystod yr haf 1964.

An unidentified 'Black 5' rushes toward an overbridge leading to a local youth hostel, on the eastern side of Penmaenmawr, with an 'Up' passenger train for Crewe during the summer of 1964.

Peter Owen

'Patriot' 4–6–0 'Sir Frank Ree' wedi ei ail drwsio yn rhuthro dan y bont haearn, pont i gerddwyr yn cysylltu Dwygyfylchi a'r traeth ym Mhenmaenbach, yn mynd i gyfeiriad Penmaenmawr gyda'r tren i Fangor. Yn lle'r hen bont mae adeilad newydd fel rhan o ddatblygiad yr A55, gyda'r ffordd newydd yn cydredeg yn y fan hon.

Rebuilt 'Patriot' 4–6–0 'Sir Frank Ree' rushes under the 'iron bridge', a pedestrian bridge linking Dwygyfylchi with the beach at Penmaenbach, as it makes its way toward Penmaenmawr with a train for Bangor. The bridge has now been replaced by a more modern structure as part of A55 Expressway development, the new road running parallel at this point.

Peter Owen

'Black 5' anadnabyddus ar flaen tren gwartheg o Gaergybi i Gyffordd yr Wyddgrug yn mynd drwy Penmaenbach ym misoedd yr haf y 1960au cynnar.

An unidentified 'Black 5' heads a cattle train from Holyhead to Mold Junction through Penmaenbach in the summer months of the early 1960s.

Peter Owen

'Princess-Coronation' pacific Rhif 46228 'Duchess of Rutland' ar flaen tren teithwyr drwy Penmaenbach yn yr haf 1963.

'Princess-Coronation' pacific No. 46228 'Duchess of Rutland' heads a passenger train through Penmaenbach in the summer of 1963.

Peter Owen

Mae'r 'Black 5' anadnabyddus yn gofalu am dren o focsus nwyddau wrth fynd heibio i ddwyrain Penmaenmawr yn y 1960au cynnar.

An unidentified 'Black 5' is in charge of a train of containers as it passes east of Penmaenmawr in the early 1960s.

Peter Owen

Cyn-LMS 'Black 5' Rhif 44913 yn mynd heibio ochr ddwyreiniol Penmaenmawr gyda'r tren nwyddau'n mynd fyny yn yr haf 1964.

Ex-LMS 'Black 5' No. 44913 passes the eastern side of Penmaenmawr with an 'Up' freight train during the summer of 1964.

Peter Owen

'Brittania' pacific anadnabyddyus yn rhedeg drwy Penmaenmawr yn beiriant ysgafn ar ei ffordd i Gyffordd Llandudno. Yn y cefndir mae'r mynydd lle mae'r chwareli gwenithfaen, yn darparu balast i gyfundrefn rheilffordd Llundain a'r Canoldir.

An unidentified 'Britannia' pacific runs through Penmaenmawr, light engine, on its way to Llandudno Junction. In the background is Penmaenmawr mountain where granite quarries are situated, providing railway ballast for the London Midland system.

Peter Owen

Dwy gerbydres teithwyr yn mynd heibio eu gilydd i'r dwyrain i orsaf Penmaenmawr ble'r oedd y gwaith nwy gynt, ond yn awr wedi mynd oherwydd datblygiad yr A55 newydd.

Two passenger trains pass each other just east of Penmaenmawr railway station at the point where there was once a gasworks, now gone to make way for the A55 Expressway development.

Peter Owen

Mewn cyflwr cyntefig mae 'Black 5' Rhif 45027 ar flaen tren teithwyr i Criw yn mynd heibio'r gwaith nwy ym Mhenmaenmawr. Yn y 19 ganrif roedd ysgol yn y fan yma a'r plant yn aml yn taflu cerrig at y treenau yng nghyfnod newydd y rheilffordd. Yr oedd yn arfer mor drafferthus bu raid cau'r ysgol a'i symud yn nes i dre Penmaenmawr. Tybiaf fod hyn yn profi nad pelt newydd yw fandaliaeth.

In pristine condition is 'Black 5' No. 45027 on a passenger train for Crewe, passing the gasworks at Penmaenmawr. These gasworks were once the site of a school in the late nineteenth century whose children would often throw stones at trains in the early years of the railway. Such was the problem that the school had to be closed and moved nearer to the town of Penmaenmawr. I suppose that this proves that vandalism on the railway is not a new problem.

Peter Owen

'Britannia' pacific eto ar flaen gwibdren i Griw drwy Penmaenmawr. Mae llong yn aros i lwytho cerrig ger glanfa'r chwarel yng nghanol Penmaenmawr, tu ol i'r orsaf.

Another 'Britannia' pacific heads a Crewe-bound express through Penmaenmawr. A ship awaits loading of granite at the quarry jetty in the centre of Penmaenmawr, just behind the station.

Peter Owen

'Britannia' pacific budr iawn ar flaen tren parseli yn mynd drwy Penmaenmawr i Criw.

A very grimy 'Britannia' pacific heads a parcels train through Penmaenmawr on its way to Crewe.

Peter Owen

Yn ormodol wedi trydaneiddio o'r brif lein Arfordir y Gorllewin mae'r 'Princess-Coronation' pacific Rhif 46237 'City of Bristol' yn cyrraedd gorsaf Penmaenmawr gyda'r tren israddol i Fangor.

Redundant from the West Coast main line, following electrification 'Princess-Coronation' pacific No. 46237 'City of Bristol' arrives at Penmaenmawr station with a humble passenger train for Bangor.

Gwyn Roberts

'Fairburn' 2–6–4 tank Rhif 42207 yn fuan wedi gadael gorsaf Penmaenmawr gyda tren lleol i Gyffordd Llandudno yn ystod yr haf 1964.

Fairburn 2–6–4 tank No. 42207 shortly after leaving Penmaenmawr station with a local train for Llandudno Junction during the summer of 1964.

Peter Owen

'Britannia' pacific Rhif 70027 'Rising Star' yn mynd heibio cwt arwydd i'r dwyrain o Benmaenmawr gyda'r tren nwyddau i Gaergybi. Agorwyd y cwt arwydd yn 1953 fel canlyniad i ddamwain i'r 'Irish Mail' yn 1950.

'Britannia' pacific No. 70027 'Rising Star' passes the signal-box at the east of Penmaenmawr station with a freight train for Holyhead. The signal-box was opened in 1953, the result of an accident involving the 'Irish Mail' in 1950.

Peter Owen

Arwydd o ddyddiau stem y Rheilffyrdd Prydeinig oedd totem yr orsaf. Dyma un Penmaenmawr ar un o lampiau'r orsaf. Tybed faent sydd ar ol erbyn hyn.

A symbol of steam days on British Railways was the station totem. Here the totem for Penmaenmawr is seen on one of the station lamps. I wonder how many of these now survive.

Gwyn Roberts

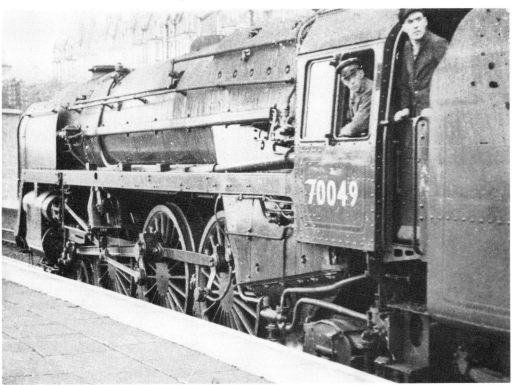

Gyrrwr a thaniwr y BR 'Britannia' pacific Rhif 70049 yn aros am adael gorsaf Penmaenmawr gyda'r tren sefyll ymhobman i Criw yn y 1960au cynnar; gwaith dipyn yn isradd i beiriant gwibdren.

The driver and fireman of BR 'Britannia' pacific No. 70049 await departure from Penmaenmawr with a stopping train for Crewe in the early 1960s; something of a come-down for an express engine.

Gwyn Roberts

105

Cyn-WD 2–8–0 yn mynd heibio i ben gorllewinol gorsaf Penmaenmawr gyda nwyddau i Gaergybi. Y cwt arwydd yn y llun sydd yn fath LNWR a cafwyd un arall yn ei le yn 1953.

Ex-WD 2–8–0 passes the west end of Penmaenmawr station with a freight for Holyhead. The signal-box in this view is the LNWR type replaced in 1953.

Gwyn Roberts

'Patriot' 4–6–0 anadnabyddus heb ei drwsio yn aros yn yr orsaf ym Mhenmaenmawr gyda thren lleol i Gyffordd Llandudno.

An unidentified unrebuilt 'Patriot' 4–6–0 waits at Penmaenmawr station with a local train for Llandudno Junction.

Gwyn Roberts

Dyma'r 'Black 5' cyntaf a adeiladwyd yng Nghriw Rhif 45000 yn paratoi i adael gorsaf Penmaenmawr am Gyffordd Llandudno. Mae'r peiriant yn awr mewn cadwraeth fel rhan o'r Casgliad Cenedlaethol.

The first 'Black 5' built at Crewe, No. 45000, prepares to depart from Penmaenmawr station with a train for Llandudno Junction. This engine is now preserved as part of the National Collection.

Gwyn Roberts

Yr oedd LNWR 0–8–0 'Super D' peiriant nwyddau yn partau yn hir, ac i'w weld yn aml gyda trafnidiaeth cludo cerrig o saflinellan y chwarel ym Mhenmaenmawr. Dyma'r Rhif 49397 ar drafnidiaeth cludo cerrig yng nghanol 1950au, yn fyr cyn cael ei thynnu'n ôl.

LNWR 0–8–0 'Super D' freight engines were long lived, and were often seen on stone traffic duty from the quarry sidings at Penmaenmawr. Here No. 49397 is seen on stone traffic duties in the mid-1950s, shortly before withdrawal.

Gwyn Roberts

Pen blaen BR dosbarth 9F, 2–10–0 yn saflinellau'r chwarel ym Mhenmaenmawr. Bu ddechrau ar ddefynyddio'r peiriannau hyn ar y trennau cludo cerrig yn y 1960au cynnar.

Front end of a BR class 9F, 2–10–0 on the quarry sidings at Penmaenmawr. These engines came into use on stone trains in the early 1960s and proved ideal for removing heavy stone-filled wagons.

Gwyn Roberts

Par o 'Black 5' 4–6–0, Rhif 45247 a 45005 yn paratoi i adael saflinellau chwarel Penmaenmawr gyda'r tren balast yn ystod y 1950au. Creodd y cynnyrch o'r chwareli llawer iawn o waith i'r rheilffordd drwy'r blyny ddoedd, a mae llawer o drafnidiaeth yn deillio o'r saflinellau heddiw.

A pair of 'Black 5' 4–6–0s, Nos. 45247 and 45005, prepare to leave Penmaenmawr quarry sidings with ballast trains during the late 1950s. Produce from the quarries created much business for the railway over the years, and much traffic still emanates from the sidings today.

Gwyn Roberts

Damwain yn saflinellau'r chwarel ym Mhenmaenmawr, 'Jubliee' 4–6–0 anadnabyddus gyda'i gludwr yn mynd oddiar y cledrau ac yn cau mynediad i'r saflinellau, gan atal pob symudiad.

A mishap at the quarry sidings at Penmaenmawr. Unidentified 'Jubilee' 4– 6–0, with its tender derailed, blocks the entrance to the sidings, preventing any traffic movements.

Gwyn Roberts

Dosbarth 'standard 5', 4–6–0 anadnabyddus yn mynd heibio'r saflinellau chwarel a'r saflinell nwyddau wrth agosau at orsaf Penmaenmawr gyda gwibdren am Griw yn 1951.

An unidentified standard class 5, 4–6–0 passes the quarry sidings and goods siding as it approaches Penmaenmawr station with an express for Crewe in 1951.

Gwyn Roberts

110

Cwt nwyddau i'r gorllewin o Benmaenmawr yn fuan ar ol ei chau Mai 1964. Mae'r cwt yna yn awr ac yn cael ei ddefnyddio gan gwmni gwagen ffordd.

The goods shed, just west of Penmaenmawr station, shortly after closure in May 1964. The shed itself still exists and is now used by a local road haulage company.

Clwyd Record Office

Llwyth anarferol ac arwydd o'r dyfodol. Tren gyda peiriannau stem diangen o lein fach gul chwareli llech Bethesda yn mynd drwy Penmaenmawr heb sicrwydd i'w dyfodol yn ystod y 1950au hwyr.

An unusual load, and omen for the future. A train of redundant narrow gauge steam locomotives, from the slate quarries at Bethesda, pass through Penmaenmawr on their way to an uncertain future, sometime in the late 1950s.

Gwyn Roberts

Cyn-LMS 'Black 5' Rhif 45091 yn tynnu tren nwyddau dan bont a gludodd lein fach gul o'r chwarel ar y mynydd uwchlaw i'r saflinellau a'r glanfa tu ol i orsaf Penmaenmawr.

Ex-LMS 'Black 5' No. 45091 hauls a freight train under the bridge that once carried a narrow gauge railway from the quarry, on the mountain above, to the sidings and jetty behind Penmaenmawr station. The railway was replaced by belts to carry stone in the 1950s.

Peter Owen

'Patriot' Rhif 45530 'Sir Frank Ree' wedi ei hailadeiladu yn tynnu tren nwyddau o dan bont rheilffordd y chwarel i'r gorllewin o orsaf Penmaenmawr. Mae'r bont yn dal yno a dull cludwr gwregys yn cludo cerrig i'r hoprau tu ol i'r orsaf.

Rebuilt 'Patriot' No. 45530 'Sir Frank Ree' hauls a freight train under the quarry railway bridge just west of Penmaenmawr station. The bridge still exists and a belt system carries stone to hoppers behind the station.

Peter Owen

Daeth y BR 7P 'Britannia' pacifc yn gyntaf i Wynedd fel modd symud yr 'Irish Mail' yn y 1950au. Bu i drydaneiddio ar brif lein arfordir y Gorllewin gynyddu y rhif yn yr ardal, ynghyd a'r hynaf a'r dosbarth Rhif 70000 'Britannia' ei hun, i'w weld yma i'r gorllewin o orsaf Penmaenmawr gyda'r tren teithwyr am i lawr yn ystod yr haf 1962.

The BR 7P 'Britannia' pacifics first came to Gwynedd as motive power for 'Irish Mail' services in the 1950s. Electrification on the West Coast main line increased their numbers in the area, including the doyen of the class, No. 70000 'Britannia' herself, seen here just west of Penmaenmawr station with a 'Down' passenger train during the summer of 1962.

Peter Owen

Yn mynd heibio safle yr hen saflinellau Brundrit i'r dwyrain o dwnel Penmaenmawr 20 Awst 1964 gyda'r tren nwyddau am i fyny mae'r 'Princess-Coronation' pacific Rhif 46240 'City of Coventry'. Nid oes dim ar ol o'r peiriant ond un plat enw arfau, a'r plat rhif o'r bocs mwg yn arddangos ar orsaf Coventry.

Passing the site of the old Brundrit sidings, just east of Penmaenmawr tunnel, on 20 August 1964, with an 'Up' freight, is 'Princess-Coronation' pacific No. 46240 'City of Coventry'. All that remains of this engine is one name-plate, crest, and smokebox numberplate, on display at Coventry railway station.

Peter Owen

Cyn-LMS 'Jubilee' 4–6–0 Rhif 45600 'Bermuda' yn mynd heibio pen gorllewin Penmaenmawr gyda'r tren nwyddau am i fyny Mehefin 1964.

Ex-LMS 'Jubilee' class 4–6–0 No. 45600 'Bermuda' passes through the west end of Penmaenmawr with an 'Up' freight train in June 1964.

Peter Owen

BR dosbarth 'standard 4', 4–6–0 yn nesau at orsaf Penmaenmawr gyda'r tren nwyddau i fyny o Gaergybi.

BR standard class 4, 4–6–0 approaches Penmaenmawr station with an 'Up' freight from Holyhead.

Peter Owen

116

Tren nwyddau cymysg gyda'r dosbarth 5 Rhif 45345, yn tynnu drwy'r cloddiad rheilffordd ar ben gorllewin Penmaenmawr ar ei ffordd i Gyffordd yr Wyddgrug Mehefin 1964.

A mixed freight, hauled by class 5 No. 45345, passes through the railway cutting at the west end of Penmaenmawr on its way to Mold Junction in June 1964.

Peter Owen

Wedi gadael gorsaf Penmaenmawr mae gwibdren yn debyg ar y ffordd i wersyll Butlin's Pwllheli yn rhuthro am dwnel Penmaenmawr, gyda dosbarth 5, 4–6–0 anadnabyddus ar y blaen yn ystod yr haf 1964. Ymddengys y ddau gerbyd cyntaf fel rhai o'r cyn-LNER Gresley 'teak stock'.

Shortly after leaving Penmaenmawr station, an excursion train, probably destined for Butlins holiday camp at Pwllheli, speeds towards Penmaenmawr tunnel, headed by an unidentified class 5, 4–6–0, during the summer of 1964. The first two coaches appear to be ex-LNER Gresley teak stock.

Peter Owen

117

Cyn-LMS dosbarth 5, 4–6–0 Rhif 44964 yn mynd dan y bont droed oedd mewn eiddo preifat ar un tro ac yn cysylltu Penmaenmawr a'r traeth, gyda tren nwyddau am i fyny i'r gorllewin o Benmaenmawr Mehefin 1964.

Ex-LMS class 5, 4–6–0 No. 44964 passes under the once privately-owned footbridge which linked Penmaenmawr with the beach, with an 'Up' freight, just west of Penmaenmawr station in June 1964.

Peter Owen

Dosbarth 5 Rhif 45493 mewn cyflwr braidd yn fudr yn mynd drwy Penmaenmawr gyda'r tren teithwyr am i lawr i Fangor Mehefin 1964.

Class 5 No. 45493 in rather dirty condition, passes through Penmaenmawr with a 'Down' passenger train for Bangor in June 1964.

Peter Owen

Yn tynnu tren teithwyr lleol i Fangor mae 'Fairburn' 2–6–4 tank anadnabyddus yn nesau at 'Hughes-Fowler' 2–6–0 'Crab' Rhif 42975 gyda'r tren nwyddau i Gyffordd yr Wyddgrug.

On a local passenger train for Bangor is an unidentified Fairburn 2–6–4 tank approaching a Hughes-Fowler 2–6–0 'Crab' No. 42975 with a freight for Mold Junction.

Gwyn Roberts

'Britannia' pacific budr iawn heb blat enw yn mynd tua Bangor gyda'r tren teithwyr yn ystod yr haf 1964.

A grubby 'Britannia' pacific, shorn of name-plates, heads towards Bangor with a passenger train during the summer of 1964.

Peter Owen

'Black 5' anadnabyddus yn mynd gyda'r tren teithwyr drwy'r cloddiad rheilffordd ym Mhenmaenmawr.

An unidentified 'Black 5' heads west with a passenger train, through the railway cutting at Penmaenmawr.

Peter Owen

Tren teithwyr gyda dosbarth 5 Rhif 45231 yn tynnu, yn cyrraedd Penmaenmawr ar ei ffordd i Criw Mehefin 1964.

An 'Up' passenger train, hauled by class 5 No. 45231, enters Penmaenmawr on its way to Crewe in June 1964.

Peter Owen

Yn fuan wedi gadael twnel Penmaenmawr dosbarth 5 Rhif 44807 yn cyrraedd y dref gyda nwyddau i Gyffordd yr Wyddgrug Mehefin 1964.

Shortly after leaving Penmaenmawr tunnel, class 5 No. 44807 enters the town with a fitted freight for Mold Junction in June 1964.

Peter Owen

Yn gadael safle yr hen saflinellau Brundrit a oedd unwaith ar gyfer ail chwarel ar fynydd Penmaenmawr, mae 'Princess-Coronation' pacific Rhif 46254 'City of Stoke-on-Trent' ar y blaen tua Penmaenmawr gyda gwibdren am i fyny 30 Mai 1964.

Leaving the site of the old Brundrit sidings, which once served a second granite quarry on Penmaenmawr mountain, 'Princess-Coronation' pacific No. 46254 'City of Stoke-on-Trent' heads toward Penmaenmawr with an 'Up' express on 30 May 1964.

Peter Owen

Gwibdren yn mynd drwy cloddiad rheilffordd Penmaenmawr ar ei ffordd i Fangor.

An express train heads west through Penmaenmawr railway cutting on its way to Bangor.

Gwyn Roberts

Llun awyrol iawn o wibdren yn mynd i'r dwyrain rhwng mynydd Penmaenmawr ac ochr y cloddiad rheilffordd yn y 1960au cynnar.

A very atmospheric picture of an express as it heads east between Penmaenmawr mountain and the side of the railway cutting in the early 1960s.

Peter Owen

Dyma cyn-LMS 'Black 5' ar flaen tren teithwyr yn croesi'r pontffordd i Lanfairfechan ar ol gadael twnel Penmaenmawr ar ei ffordd i Fangor.

An ex-LMS 'Black 5' on a passenger train crosses the viaduct leading to Llanfairfechan after leaving Penmaenmawr tunnel on its way to Bangor.

Gwyn Roberts

Gorsaf Aber, rhwng Llanfairfechan a Bangor, fel yr oedd yn y 1950au. O Gonwy, dyma'r orsaf gyntaf i agor wedi cwblhau'r lein yn 1848, hefyd y cyntaf i gau pan fu ddiwedd ar y trennau'n galw yno yn 1960. Dim ond ty'r orsaf a'r cwt arwydd a erys i gofnodi'r safle.

Aber station, between Llanfairfechan and Bangor, as it was in the mid-1950s. From Conwy, this was the first station to open when the line was complete in 1848; it was also the first to close when trains ceased calling there in 1960. Only the station house and signal-box now remain to mark the site.

Lens of Sutton

Gorsaf Bangor oedd y terfyn i'r cangenau i Fethesda (wedi cau 1951) ac Afonwen (wedi cau rhwng Caernarfon ac Afonwen yn 1964 a Porthaethwy i Gaernarfon yn 1970). Yn y dyddiau hapus gynt dyma cyn-LMS 'Royal Scot' 4–6–0 wedi ei aildrwsio yn rhedeg drwy orsaf Bangor, cludwr yn gyntaf ar ei ffordd i Gyffordd Llandudno.

Bangor station was once terminus of branches to Bethesda (closed in 1951) and Afon-wen (closed between Caernarfon and Afon-wen in 1964 and Menai Bridge to Caernarfon in 1970). In happier days, an unidentified ex-LMS rebuilt 'Royal Scot' 4–6–0 runs through Bangor station, tender first, on its way to Llandudno Junction.

Gwyn Roberts

Cyn-LMS 'Royal Scot' Rhif 46157 'The Royal Artilleryman' yn aros yng ngorsaf Bangor gyda'r tren i Gaergybi yn y 1950au.

Ex-LMS 'Royal Scot' No. 46157 'The Royal Artilleryman' pauses at Bangor station with a train for Holyhead in the mid-1950s.

Gwyn Roberts

Yn ystod dyddiau olaf stem, dyma 'Black 5' yn dangos trael yn aros yng ngorsaf Bangor gyda gwibdren i Afonwen.

In the final days of steam, a well-worn 'Black 5' waits at Bangor station with an excursion train for Afon-wen.

Gwyn Roberts

'Ivatt' 2–6–2 tank Rhif 41287 yn gorffwys yng ngorsaf Bangor cyn mynd a'r tren i Gaernarfon.

Ivatt 2–6–2 tank No. 41287 rests at Bangor station before taking out a train to Caernarfon.

Gwyn Roberts

Cyn-LMS dosbarth 'Jubilee' Rhif 45721 'Impregnable' fel peilot gorsaf ym Mangor yn nyddiau olaf stem.

Ex-LMS 4–6–0 'Jubilee' class No. 45721 'Impregnable' acts as station pilot at Bangor in the latter years of steam.

Gwyn Roberts

Cyn-LMS 'Patriot' 4–6–0 Rhif 45520 heb ei thrwsio gyda'r enw 'Llandudno' yn gorffwys ar ffordd y cwt ym Mangor yn y 1960au cynnar.

Ex-LMS unrebuilt 'Patriot' 4–6–0 No. 45520, with the local name of 'Llandudno', rests on the shed road at Bangor in the early 1960s.

Gwyn Roberts

Tu mewn i gwt injan Bangor rhywdro yn 1962.
Inside Bangor loco-shed sometime in 1962.

Peter Owen

'Princess-Coronation' pacific Rhif 46237 'City of Bristol' yn mynd i mewn i dwnnel Belmont ar ol gadael gorsaf Bangor gyda tren Caergybi.

'Princess-Coronation' pacific No. 46237 'City of Bristol' enters Belmont tunnel, after leaving Bangor station, with a train for Holyhead.

Norman Kneale

'Black 5' 4–6–0 Rhif 44678 yn nesau at Borthaethwy gyda thren o Gaergybi.
'Black 5' 4–6–0 No. 44678 approaches Menai Bridge with a train from Holyhead.

A.G. Ellis Collection

Gorsaf Porthaethwy yn y canol 1960au. Roedd yr orsaf yn gyffordd rhwng prif lein Caergybi a'r gangen i Afonwen. Cauwyd hi pan fu gorffen gweithio'r lein i Gaernarfon yn 1970.

Menai Bridge station in the mid-1960s. The station was a junction between the main line to Holyhead and the branch to Afon-wen. It was closed when the line to Caernarfon ceased operating in 1970.

Lens of Sutton

BR dosbarth 'standard 4' yn gadael cangen Caernarfon ym Mhorthaethwy gyda'r tren o Gaernarfon i Gaer.

BR standard class 4 leaves the Caernarfon branch at Menai Bridge with a train from Caernarfon to Chester.

Norman Kneale

Treborth oedd yr orsaf gyntaf wedi dringo o Borthaethwy, gwelir yma yn y 1960au cynnar.

First station after the climb from Menai Bridge was Treborth, seen here in the early 1960s.

Lens of Sutton

133

Wrth edrych tua Caernarfon dyma orsaf Felinheli yn y 1960au. Mae'r lle yn edrych yn llawer mwy pwysig nag oedd o mewn gwirionedd oherwydd yr adeilad mawr.

Port Dinorwic station, looking towards Caernarfon, in the mid-1960s. The substantial building makes the place look more important than it actually was.

Lens of Sutton

Golwg arall ar orsaf Felinheli wrth edrych at Borthaethwy yng nghanol y 1960au. Yn ddiweddar bu son am ail agor y lein i Gaernarfon ac effallai bydd gorsaf eto yn Felinheli.

Another view of Port Dinorwic station, looking toward Menai Bridge, in the mid-1960s. In recent times, there has been some talk about the possibility of re-opening the line to Caernarfon and a station may once again exist at Port Dinorwic.

Lens of Sutton

BR dosbarth 4, 2–6–4 tank Rhif 80094 yn tynnu tren lleol o Fangor i Afonwen drwy gorsaf Felinheli yn 1957.

BR class 4, 2–6–4 tank No. 80094 hauls a local train from Bangor to Afon-wen through Port Dinorwic station in 1957.

Norman Kneale

Pen draw am Fangor i orsaf Caernarfon fel yr oedd yng nghanol y 1960au. Caernarfon oedd terfynfa y gangen pan gauwyd y lein o Gaernarfon i Afonwen yn 1964.

The Bangor end of Caernarfon station as it appeared in the mid-1960s. Caernarfon was the terminus of the branch when the line from Caernarfon to Afon-wen was closed in 1964.

Lens of Sutton

Gorsaf Caernarfon yng nghanol y 1960au. Cafodd yr orsaf ei dacluso'n llwyr ar gyfer Arwisgiad Tywysog Cymru yng Nghaernarfon yn 1969, ond bu i'r dynion dymchwel chwalu'r cwbl yn fuan iawn wedyn.

Caernarfon station in the mid-1960s. The station was fully repainted for the investiture of the Prince of Wales at Caernarfon in 1969, only for the demolition men to move in shortly afterwards.

Lens of Sutton

Pen Afonwen i orsaf Caernarfon yn y 1960au canol. Roedd yr orsaf yn gyffordd i'r lein i Lanberis oedd heb ei hysbysebu, ac a gauwyd yn 1964.

Afon-wen end of Caernarfon station in the mid-1960s. The station was a junction for the unadvertised line to Llanberis, which closed in 1964.

Lens of Sutton

Gorsaf Llanberis yn fuan ar al cau yn 1964.

Llanberis station shortly after closure in 1964.

W. Rear

137

'Fairburn' 2–6–4 tank Rhif 42042 ar flaen tren lleol allan o Gaernarfon i Fangor yn y 1960au canol.

Fairburn 2–6–4 tank No. 42042 heads a local train out of Caernarfon towards Bangor in the mid-1950s.

W. Rear

Cyn-GWR 'Collett Goods' 0–6–0 Rhif 3202 o gwt Pwllheli ar flaen y 'North Wales Land Cruise' drwy Caernarfon ar ei ffordd i Fangor.

Ex-GWR Collett Goods 0–6–0, No. 3202 of Pwllheli shed, heads the North Wales Land Cruise through Caernarfon, on its way to Bangor.

W. Rear

'Stanier' 2–6–4 tank yn rhedeg heibio Llyn Padarn gyda pleserdaith o Rhyl Medi 1952. Gresyn nad yw'r lein yma'n awr oherwydd busai'n sicr o ddenu ymwelwyr heddiw.

Stanier 2–6–4 tank runs past Llyn Padarn with an excursion from Rhyl in September 1952. It is a pity that the line does not still exist as it would certainly be a tourist attraction today.

W. Rear

Y tren nwyddau diwethaf i weithio ar gangen Llanberis yng Ngorsaf Pontrhythallt dan ofal 2–6–4 tank Rhif 42489, yn Hydref 1964.

Last scheduled goods train on the Llanberis branch, at Pontrhythallt station, with 2–6–4 tank No. 42489 in charge in October 1964.

W. Rear

'Black 5' Rhif 44711 oedd y tren diwethaf i ddefnyddio gorsaf Llanberis, gwelir yma gyda tren nwyddau i Gaernarfon.

Last train to use Llanberis station was 'Black 5' No. 44711 seen with a goods train for Caernarfon.

Norman Kneale

Cyffordd Dinas oedd yr orsaf gyntaf ar ol Caernarfon am Afonwen, a oedd yn cysylltu a lein fach lled-gul y 'Welsh Highland Railway', a gwelir y cerbydresi tu ol i arwydd gorsaf ar y chwith i'r llun.

First station from Caernarfon to Afon-wen was at Dinas Junction which had a connection with the narrow gauge Welsh Highland Railway, whose coaches can be seen behind the station sign, on the left of the picture.

Lens of Sutton

Cyffordd Dinas, yn dangos cwt arwydd ar ganol y llwyfan. Mae'n agored i ddyfaliad pe bydd i'r 'Welsh Highland Railway' fyth eto gyrraedd y fan yma er fod rhan o'r lein yn dal ar waith ym Mhorthmadog.

Dinas Junction, showing the signal-box in the middle of the platform. Whether the Welsh Highland Railway will ever reach this point again is open to speculation, although a section of their line does still operate at Porthmadog.

Lens of Sutton

141

Cafodd yfford Dinas ei ystyried yn ddigon pwysig i gael dolen heibiol, gan roddi dau lwyfan i'r orsaf.

Dinas Junction was considered important enough to have a passing loop, giving the station two platforms.

Lens of Sutton

Unig lwyfan gorsaf Llanwnda, yn dangos y prif adeilad a'r saflinellau nwyddau.

Single-platformed Llanwnda station, showing the main station building and goods sidings.

Lens of Sutton

Golwg arall ar orsaf Llanwnda ychydig cyn cau y lein. Mae'r gwely cledran yn awr yn lwybr ar gyfer beic.

Another view of Llanwnda station, shortly before closure of the line. The trackbed is now a cycle path.

Lens of Sutton

Gorsaf Groeslon, yn gyfan gyda dolen heibiol yn y 1960au cynnar.

Groeslon station, complete with passing loop, in the early 1960s.

Lens of Sutton

Gorsaf Pen-y-Groes yn y 1960au cynnar. Yn union tu draw i'r orsaf oedd y gangen fer i Nantlle a gauodd yn gyfangwbl yn 1963. Roedd y gangen ar gyfer symed llechi o'r chwarel.

Pen-y-Groes station in the early 1960s. Just beyond the station was the short branch to Nantlle, which closed completely in 1963. The branch existed to remove slate from a local quarry.

Lens of Sutton

Gorsaf Pen-y-Groes yn edrych tua Caernarfon.

Pen-y-Groes station, looking toward Caernarfon.

Lens of Sutton

Tren i wersyll gwyliau Butlins yn mynd i Afonwen ac i'w weld ar gopa y gangen ym Mhant Glas gyda 2–6–4 tank Rhif 42157 yn gofalu ac 40102 fel peiriant tren, 8 Awst 1953.

A train for Butlins holiday camp heads toward Afon-wen and is seen at the summit of the branch at Pant Glas with 2–6–4 tank No. 42157 in charge and 40102 as train engine. This scene was taken on 8 August 1953.

W. Rear

Gorsaf Brynkir gyda sioe o flodau ar y llwyfan yn ystod yr haf yn y 1960au cynnar.

Brynkir station with a fine display of flowers on the platform during the summer months of the early 1960s.

Lens of Sutton

145

Dau lwyfan gorsaf Brynkir yn dangos cyflwr tlawd y cwt disgwyl yn y 1960au cynnar.

Both platforms of Brynkir station, showing the shabby site of the waiting hut in the early 1960s.

Tren nwyddau codi'i fyny gyda 2–6–4 tank anadnabyddus ar y blaen yn galw ym Mrynkir ar ei ffordd i Fangor.

A pick-up goods train, headed by an unidentified 2–6–4 tank, calls at Brynkir on its way to Bangor.

Gorsaf Ynys yn dangos croesfan gwastad a oedd yno ers talwm.

Ynys station, showing the level crossing that once existed there.

Lens of Sutton

Gorsaf Ynys yn y 1960au cynnar.

Ynys station buildings in the early 1960s.

Lens of Sutton

Gorsaf Llangybi yn y 1960au cynnar.

Llangybi station in the early 1960s.

Cwt arwydd yng ngorsaf Llangybi.

The signal-box at Llangybi station.

Chwilog oedd yr orsaf olaf ar gangen Afonwen, i'w weld yma yn y 1960au cynnar.

Last station on the Afon-wen branch was Chwilog, seen here in the early 1960s.

Lens of Sutton

Dyma adeilad o sylw ar orsaf Chwilog sy'n edrych yn ormod ar gyfer y gangen. Mae'n dristwch fod y cwbl, ynghyd a'r gorsafoedd eraill ar y gangen i gyd wedi mynd.

The imposing station building at Chwilog, which seems out of proportion to the importance of the branch. Sadly all of this, along with all the other stations on the branch, has now gone.

Lens of Sutton

Mae BR dosbarth 'standard 5' ar flaen tren yn mynd am Bont Britannia Robert Stephenson sy'n Croesi'r Fenai i Fon. Aeth y ceubont ar dan yn 1970, ac yn awr fframwaith cantilifyr a agorwyd yn 1975 sy'n cludo'r gledr ffordd singl gyda bont ffordd uwchben. Mae'r wibffordd A55 rhwng Caergybi a Chaer yn dangos rhagoriaeth trafnidiaeth lon ers y rhyfel. Dyna'r rheswm am gau cymaint o'r gyfundrefn rheilffordd yng Ngwynedd ers dyddiau stem.

A rather grubby BR standard class 5 heads a train toward Robert Stephenson's Britannia Bridge crossing the Menai Strait into Anglesey. The tubes of the bridge were destroyed by fire in 1970 and a cantilever structure, opened in 1975, now carries the railway on a single track, with a road deck above. The road deck forms part of the new A55 Expressway which will eventually provide a fast link between Chester and Holyhead, showing the pre-eminence of road transport since the war, and the reason for the closure of so much of the railway system in Gwynedd since the days of steam.

Peter Owen

Dyma BR dosbarth 'standard 4' Rhif 75009 yn rhedeg wysg ei gludur glo drwy orsaf Llanfair P.G. y cyntaf ar Ynys Mon, gyda thren cludo cemegau o Amlwch yn ystod yr haf 1965. Wrth ben y rhosynau gwelir enw llawn yr orsaf.

A BR standard class 4–6–0 No. 75009 runs tender first through Llanfair P.G. station, the first on Anglesey, with a train of chemical tankers from Amlwch during the summer of 1965. The full name of the station can be seen above the rose bushes.
Norman Kneale

'Jubilee' 4–6–0 anadnabyddus yn tynnu tren Caergybi heibio gorsaf Gaerwen yn 1965. Dechrau cangen Amlwch sydd yn dirwyn i'r dde.

An unidentified 'Jubilee' 4–6–0 hauls a Holyhead bound train past Gaerwen station in 1965. The line going off to the right is the start of the Amlwch branch.

Gwyn Roberts

'Stanier' 8F 2–8–0 sy'n rhoddi ynni symud i'r tren parseli o Gaer i Gaergybi yn mynd drwy orsaf Gaerwen yn ystod misoedd cynnar 1965.

Stanier 8F 2–8–0 provides motive power for a Chester to Holyhead parcels train passing Gaerwen station in the early months of 1965.

Norman Kneale

Tren tynnu-gwythio o Amlwch yn aros yn y saflinell yng Ngaerwen yn ystod yr haf 1964. Aiff ymlaen wedi i'r wibdren fynd heibio ar y brif lein.

An Amlwch push-pull train waits in a siding at Gaerwen during the summer of 1964. It will proceed on its way when an express has passed on the main line.

Norman Kneale

'Stanier' 2–6–4 tank Rhif 42478 yn stemio i ffwrdd gyda fan brec, o orsaf Llangefni i Amlwch un bore Chwefror yn 1964.

Stanier 2–6–4 tank No. 42478 steams away with a brake van, from Llangefni station to Amlwch on a February morning in 1964.

Norman Kneale

153

Yn Amlwch, terfynfa y gangen o Gaerwen, mae 2–6–2 tank Rhif 84003 yn codi dwr Gorffennaf 1964 cyn dychwelyd i Fangor.

At Amlwch, terminus of the branch from Gaerwen, 2–6–2 tank, No. 84003 takes on water in July 1964 before returning to Bangor.

Norman Kneale

Wedi codi dwr, 84003 yn mynd wysg ei chefn i orsaf Amlwch gan fynd heibio i 2–6–2 tank Rhif 41234 ar ddyletswydd nol a'mlaen yn yr iard nwyddau.

Having taken on water, 84003 backs into Amlwch station, passing 2–6–2 tank No. 41234 on shunting duties in the goods yard.
Norman Kneale

Cyn-LMS 'Black 5' Rhif 45441 yn aros wrth y cwt yng Nghaergybi 29 Mawrth 1959.

Ex-LMS 'Black 5' No. 45441 rests alongside the shed at Holyhead on 29 March 1959.

A.G. Ellis Collection

Cwt Caergybi yn y gwanwyn 1964 a 'Britannia' pacific Rhif 70012 'John of Gaunt' yn tynnu, allan o'r cwt, dau 'Black 5' Rhif 45145 a 45237. Y peiriannau eraill yn y llun yw 'Britannia' pacific Rhif 70045 'Lord Rowallan' a 'Black 5' Rhif 45045.

Holyhead shed in the spring of 1964 with 'Britannia' pacific No. 70012 'John of Gaunt' drawing, out of shed, two 'Black 5s', Nos. 45145 and 45237. The other engines in the picture are: 'Britannia' pacific No. 70045 'Lord Rowallan' and 'Black 5' No. 45045.

Norman Kneale

Yn y gaeaf 1964, mae cyn-LMS 'Jinty' 0–6–0 tank Rhif 47410 yn tynnu rhes o wageni nwyddau i fyny allan o Gaergybi.

In the winter of 1964, ex-LMS 'Jinty' 0–6–0 tank No. 47410 hauls a long rake of goods wagons up the incline out of Holyhead.

Norman Kneale

Bron ar bendraw'r lein mae 'Britannia' pacific Rhif 70053 'Moray Firth' yn dod a'r tren o Fanceinion i orsaf Caergybi. Yn y cefndir mae'r 'Royal Hotel' a agorwyd yn 1880 ynghyd a'r orsaf bresennol, a cauwyd yn 1951. Bu dymchwel y gwesty yn 1978 er mwyn gwneud lle i wella'r orsaf.

Almost at the end of the line as 'Britannia' pacific No. 70053 'Moray Firth' brings a train from Manchester into Holyhead station. In the background is the 'Royal Hotel', opened in 1880 along with the present station, and closed in 1951. The hotel was demolished in 1978 to make way for station improvements.

Norman Kneale

Edrychai bachgen bach yn edmygus ar 'Eastern Region' A2 pacific Rhif 60532 'Blue Peter' yng nghwt Caergybi ar ol dod ar phleserdaith arbennig yr 'Altrincham Railway Excursion Society' o Brymbo ger Wrecsam ar y 21 Awst 1966, blwyddyn wedi diwedd stem ar brif reilffyrdd Gwynedd. Rhyw 23 o flynyddoedd wedi tynnu'r llun yma, ymddangosodd stem unwaith eto ar y lein o Griw i Gaergybi, gyda'r 'North Wales Coast Express' a drefnwyd gan BR a siarter preifat 'Ynys Mon Express'. Yn wreiddiol, y cynllun oedd rhedeg y rhain am dair blynedd, ond mawr obeithir y byddant yma am hir oes er mwynhid i'r miloedd eiddgar.

A small boy looks admiringly at Eastern Region A2 pacific No. 60532 'Blue Peter' at Holyhead shed after she had brought in an Altrincham Railway Excursion Society special from Brymbo, near Wrexham, on 21 August 1966, one year after steam had finished on the main line in Gwynedd. Some twenty-three years after this picture was taken, steam once more appeared on the line between Crewe and Holyhead in the shape of the 'North Wales Coast Express', organized by British Rail and the private charter 'Ynys Mon Express'. Originally, it was planned to have these trains operating for three years, but the hope is that they will continue for longer, giving enjoyment to the many thousands of steam enthusiasts.

Norman Kneale